An Clár

Réamhrá   5
Mo Bheannacht Leat, a Leabhairín   7
Mo Leabhairín Dánta   9

ÉADAÍ
An Geansaí Glas   10
Mo Shlipéirí   11

BIA
An Bosca Lóin   12
An Tae   12

AN BAILE
An Baile Seo 'Gamsa   14
An Teach Bábóige   15
An Ceacht a Fhoghlaim Beirt   16
An Cairrín Bréige   17

MISE MÉ FÉIN (AGUS MO MHUINTIR)
Mamaí   18
Síóigín   19
Mo Dheartháirín   20
Mo Mhuintir   22
Mise   22
Mothúcháin   24
Gach Soicind   25
Ag Fás   26
Imní   27
Inniu an Satharn   28

AN AIMSIR
An Picnic
Cois Farraige
Is Ait an Mac an Saol
Fuacht   32

Fear Sneachta   33
An Spéir   34

ÓCÁIDÍ SPEISIALTA
Oíche Shamhna   35
Dráma na Nollag   36
Ding Dong   37
San Nioclás   38
An Pharáid   39
Pádraig Naofa   40
Ubh Seacláide   42

AINMHITHE
Craos   43
Cat ag Crú na Gréine   43
Mo Bhó   44
Iora Rua, Iora Ghlas   45
Eilifint Ghlas   46
Léim, a Mhoncaí, Léim   47
An Spideog   48
Mo Pheata Sinéad   48
An Luchóg   50

AN SCOIL
Clog na Scoile   51
An Scoil   52
An Leabhar ar Strae   54
An Leabharlannaí Scoile   55
Cáit Ghiodamach   56
Diúdláil   57

ILGHNÉ
An Cleasaí   58
Fóinín   60
Leipreachán   61
An Citeal Dubh   62
Mo Ríomhaire   63
Is Fuath Liom an Scoil   64

Réamhrá

Bheadh Con Ó Tuama molta, dá mbeinn-se im' thost.

Téann a chlú ildánach roimhe mar mhúinteoir, mar cheoltóir, mar dhrámadóir, mar aisteoir, mar chumadóir, mar phríomhoide agus, mar a léirítear sa leabhar seo, mar fhile. Is beag duine i saol an oideachais lán-Ghaeilge ná i saol na drámaíochta Gaeilge nár chuala trácht ar Chon Ó Tuama.

Léirigh sé thar na blianta agus é i mbun ceoldrámaí Ghaelscoil Inse Chór, in imeachtaí ar nós Slógadh agus an Fhéile Scoildrámaíochta, an tuiscint atá aige ar aigne an pháiste - conas rannpháirtíocht agus spéis a spreagadh trí ábhar lán le spraoi agus le taitneamh a chur i láthair. Is cuimhin liom féin go maith leipreacháin bheaga bhídeacha Inse Chór ag damhsa agus ag canadh go ceolmhar sona faoina stiúir chumasach.

Tá an cur chuige céanna sa bhailiúchán rannta agus dánta seo. Leabhairín lán de chraic agus spraoi atá ann bunaithe ar théamaí a bhaineann go dlúth le saol an pháiste óig. Baineann gach dán le hábhar a bhaineann leis an ngnáthshaol, saol an lae inniu seachas dánta fréamhaithe inár stair, nach spéis le páistí go minic. Dánta faoi ríomhairí agus fóin phóca, faoi ócáidí speisialta agus faoi mhothúcháin, faoi ainmhithe agus faoin scoil - dánta faoi théamaí uile an churaclaim bunscoile, nach mór.

De réir Churaclam na Bunscoile (1999):

'Is cuid an-tábhachtach d'fhorbairt aeistéitiúil agus shamhlaíoch an pháiste í an fhilíocht. Is breá le páistí fuaimeanna, tuin, rithim agus imeartas focal na filíochta. Is breá leo rainn, rímeanna agus amhráin shimplí rithimiúla le curfá éasca. De réir a chéile fásann meas ar dhánta ina bhfuil úsáid teanga fhileata, íomhánna agus samhlacha.'

5

Agus

'Is é an phríomhaidhm atá le múineadh agus foghlaim na filíochta ná go mbainfeadh na páistí pléisiúr agus taitneamh aisti'.

Is léir gurbh í an phríomhaidhm chéanna a bhí ag Con Ó Tuama agus é ag cumadh na ndánta seo. Is cinnte go mbainfidh na páistí, gan trácht ar a gcuid múinteoirí, pléisiúr agus taitneamh astu. Tá cúlra teaghlaigh an fhile le haithint ar na dánta - sa Ghaolainn nádúrtha, shaibhir atá iontu, chomh maith leis an gceol atá sna focail, sa rithim agus sna rímeanna.

Beidh an-fháilte ag tuismitheoirí freisin roimh an bhailiúchán mar ábhar léitheoireachta as Gaeilge lena bpáistí. Spreagann dánta agus rannta feasacht páistí ar fhocail scríofa agus ar na fuaimeanna a bhaineann le litreacha éagsúla. Moltar an fhilíocht mar bhealach chun scileanna réamh-léitheoireachta páistí a fhorbairt, agus is cinnte go mbraithfidh siad draíocht na bhfocal sna dánta seo. Spreagfaidh téamaí na ndánta comhrá sa bhaile agus ar scoil agus forbrófar na scileanna cumarsáide dá réir.

Beidh ceol na bhfocal sna dánta seo i gcluasa na léitheoirí agus aoibhneas na bpictiúr le Damhnait Ní Thuama ina súile; agus is cinnte go mbeidh an spraoi le brath ina gcroí.

'Gach beannacht ar Chon Ó Tuama,
Ar a pheann is ar a ghuth'

Muireann Ní Mhóráin,
Príomhfheidhmeannach,
An Chomhairle um Oideachas
Gaeltachta agus Gaelscolaíochta

Mo Bheannacht Leat, A Leabhairín

Rannta beaga atá anso;
Do leanaí de gach aois iad;
Tá abhar grinn is machnaimh ann
Don léitheoirín óg críonna.

Pictiúirí breátha daite
Atá tarraingteach don tsúil;
Léaráidí agus cleachtadh
Don ealaíontóirín misniúil.

Go mbaine sibhse taitneamh
As na véarsaí beaga seo;
Gach beannacht ó Chon Ó Tuama,
Óna pheann is óna ghuth.

Mo Leabhairín Dánta

Tá leabhairín beag agamsa,
Leabhairín beag buí,
É lán de dhánta deasa,
Agus féach na pictiúirí!

Tá dán ann faoi chairrín,
Is ceann eile faoi eitleog,
Is féach mo theach bábóige,
Is sin é mo dheartháirín óg.

Léim mo leabhar gach oíche,
Sula dtéim a luí.
Beidh sé 'gam i gcónaí,
Mo leabhairín beag buí.

ÉADAÍ

An Geansaí Glas

"Cuir ort do gheansaí glas, a chroí,"
arsa mamaí liom inné.
"An geansaí gránna glas is buí
agus poill sa mhuinchille chlé?
Is fuath liom féin an geansaí sin,"
arsa mise le mo mham.
"Tá'n muineál stróicthe trasna,
's ní shroicheann sé mo chom,"

"Cuir ort do gheansaí glas, a chroí,"
arsa mamaí liom inné.
"Nuair a fhillfidh tú ar ais ón scoil,
deiseoidh mamaí é."
"Beidh gach éinne ar scoil ag gáire fúm,"
arsa mise le mo mham.
"B'fhearr liom dul ar scoil gan gheansaí!
Caithfidh mé mo chóta donn."

Le déanamh: Aimsigh an botún sa léaráid!*

10

Mo Shlipéirí

Is breá liom mo shlipéirí,
táid compórdach agus bog,
Tá fionnadh geal á gclúdach,
Is dhá bhéirín iad, (ní dhá luch!).

Nuair a shiúlaim suas an staighre,
ní chloistear mo choiscéim,
Bím chomh ciúin sin im' shlipéirí,
nach gcloisim fiú mé féin.

"Oíche mhaith dhíbh, a shlipéirí:
a shlipéirí-bhéirín-bhuí.
Beidh sibh orm arís amáireach,
nuair a bheidh sé in am éirí."

BIA

An Bosca Lóin

Cad 'tá sa bhosca lóin, a Sheáin?
Sailéad deas is úll folláin.
Is breá liom glasraí is torthaí:
Cairéad, tráta nó banana buí.

Cad 'tá sa bhosca lóin do Sheán?
Sú oráiste nó bainne deas bán?
Is breá liom deoch a ól gach lá;
Anois níl ocras ná tart dom' chrá.

An Tae

A Mhamaí, a Mhamaí,
Cad a bheidh againn don tae,
Pónairí nó píseanna,
Agus anraith an lae?

A Bhláithín, a Bhláithín,
'Sé a bheidh againn don tae:
Pónairí is prátaí
Agus milseog an lae.

Milseog, a Mhamaí?
Arsa Bláithín go glé.
Uachtar reoite 's glóthach,
Arsa Mamaí, bhfuil tú réidh?

AN BAILE

An Baile Seo 'Gamsa

Tithe ar dheis,
Tithe ar clé,
Mise sa pháirc
An bhfeiceann tú mé?

Ag caitheamh liathróide
Ó chara go cara;
Sinne ag súgradh
'Dir dhá chrann darach;

Lachain sa loch,
Agus cúpla eala
Ag gluaiseacht go maorga,
Éist! Beacha meala!

Anois ar an loch
Siúd dhá lacha dhonn'
Ag snámh is ag spraoi
Is ag scríobadh le fonn.

Seo chughainn an bardal:
"Stopaig' an scléip!
Bígí san airdeall!
Tá'n ghrian ag dul faoi."

Sin é mo bhaile-se
I lár an bhóithrín.
Nach álainn an áit é,
An áit 'na gcónaím!

Le déanamh: Déan pictiúir de na rudaí sa dán.

An Teach Bábóige

Tá teach bábóige 'gamsa;
Tá sé dearg agus buí,
Tá doras tosaigh gorm air,
Is staighre go barr an tí.

Thuas sa seomra codlata
Tá leaba dheas bhog,
Ina luí ar an leaba
Tá teidí álainn beag.

Thíos staighre tá an chistin
Tá bord ag an bhfuinneoig,
Tá sorn ann is doirteal,
Cathaoireacha is stól.

Tá gach ní ann beag bídeach,
Chomh beag le do lúidín;
Sin é mo theach bábóige,
Nach álainn é 'n seoidín!

An Ceacht a Fhoghlaim Beirt

"Ó, féach na húlla blasta,"
Arsa Colm glic lá 'mháin.
"Thar falla linn go gasta,
Go húllord Uí Dhubháin."
"Nach iad 'tá dearg, snasta!"
Arsa cara Choilm, Seán.

"Seachain tusa 'n madra muar!
Coinnigh siar uaim é, is ciúin.
Dreapfaidh mé in airde suas,
Leagfad úlla le maide siúil
Dhaideo," arsa Colm gan bhuairt,
"Is beidh féasta breá againn sa chlúid!"

"Ná téigí 'n aice leo!" deir mamaí,
Í ag faire ar ár mbeirt,
"Mo náire sibh, a bhuachaillí,
Tagaíg' i leith chugham ar an dtoirt.
Glanaigí 'nois fuinneoga 'n tí,
Le huisce sobalach is ceirt."

Le déanamh: Tarraing pictiúr daite den radharc.

An Cairrín Bréige

Gluaiseann sé, tiomáinim é
Go tapaidh ar a shlí;
Soir liom is siar liom
Im' chairrín álainn buí.

Tá adharc air a deir "bíp, bíp",
Go hard, go glé, go binn.
Na rothaí ag dul timpeall;
Fág an bealach is géill slí.

Tá sé ag éirí déanach,
Is in am dul a' luí;
Beidh mé 'r ais arís amáireach
Im' charr beag snasta buí.

Le déanamh: Aimsigh an botún sa léaráid. [+]

MISE MÉ FÉIN (IS MO MHUINTIR)

Mamaí

Siúlann mo mhamaí
Go tapaidh gach lá;
Siúlann sí gasta,
Gan éinne á crá.

Síos cúpla bóthar,
Is suas gach re sráid;
Deas, clé lena cosa,
Suas, síos lena láimh.

"Sin dhá phunt imithe;
Táim tanaí arís!"
T'réis béile tráthnóna,
Beidh an bhean bhocht ar bís.

Suas léi ar na scálaí:
"Táim éirithe trom!
Ach siúlfad amáireach,"
A deir sí le fonn.

Síóigín

Nuair a bhímse im' chodladh
Tagann síóigín amach,
Is deineann sí mo lón dom,
Is níonn na héadaí salach'.

Nuair a bhímse im' chodladh
Bíonn an tsíóigín sin ann,
Ag ullmhú mo léine dom,
Ag iarnáil mo bhríste donn.

Nuair a éireoidh mé ar maidin,
An mbeidh an tsíóigín ann?
Gan amhras beidh, mar 'sí sin
Mo mhamaí,
An mam is fearr ar domhan!

Le déanamh: Déan cur síos ar do Mhamaí.

19

Mo Dhearthāirín

Tá deartháirín beag agamsa,
Taidhgín tréan is ainm dó.
Ní éisteann sé le héinne:
Má bhíonn Taidhgín ann, bíonn gleo.

Gheobhaidh tú é sa chistin
Ag útamáil faoin mbord.
Beidh sé 'cleataráil na gcorcán
Ag cur scian is forc as ord.

Is aoibhinn leis an lathach,
Is na pludair ar chosán;
Bíonn a aghaidh i gcónaí salach,
Is a léine álainn bán.

Ach cé go bhfuil sé dána,
Bíonn gáire ar a bhéal;
Ní féidir leat 'bheith crosta leis,
Mo dheartháir é t'réis an tsaoil.

Is breá leis subh, is breá leis ubh,
Is breá leis roinnt prátaí,
Nuair a fhéachann sé sa scáthán,
Aithníonn Tadhg Taidhgín!

Mo Mhuintir

Seo pictiúir de Mham agus Daid
An lá a pósadh iad.
Anois tá ceathrar nua tr'éis teacht:
Seán, Dónall, Nóra 's Niamh.

Seo pictiúir 'nois den seisear 'gainn,
Ar lá mo Chéad Chomaoine;
Sin Mam ar clé is Daid ar dheis,
Is Nóra óg ag caoineadh.

Seo pictiúir díobh go léir arís
Iad ann dom' Chomhneartú.
Níl sa ghrianghraf seo ach ceathrar:
Bhí Seán is Niamh ar lár le fliú.

Seo pictiúir dínn-ne seisear,
Ar saoire thall sa Spáinn;
Ag sult, ag súgradh 's ag gáire,
Is sinn Muintir Ghiolla Bháin.

Mise

Is mise mise.
Ní mise tusa.

Is tusa tusa.
Ní tusa mise.

Is sinn sinn féin
Ní éinne eile.
Is sinn sinn féin,
Sin é, ar deireadh!

Le déanamh: Bailigh grianghrafanna díot féin is de do mhuintir. Cuir nóta eolais leo.

Mothúcháin

Tá mo cheannsa lán de mhothúcháin,
mar táim i rang a sé,
Go minic braithim m'aigne
Ag imeacht glan ar strae.

Anois sa bhunscoil tá mé mór,
Níos sine ná daoine eile.
Ach beag a bheidh mé agus óg
Ag tosnú i rang meánscoile.

An mbeidh mo sheana-chairde liom,
Im' chomhluadar arís?
Nuair a fhágfaidh mise rang a sé,
Nach mé a bheidh ar bís.

Ar shlí amháin beidh brón orm,
Ach áthas ar shlí eile,
Níl aon dul as ach fás aníos,
Is dul chun cinn, sin uile.

N'fheadar faoi mhúinteoirí,
A bheidh agam go luath?
An mbeidh siad séimh is tuisceanach,
Lán grá dom is tacú?

Táim ullamh, sea, táim sásta,
Le dúshlán an tsaoil mhóir.
Is fós táim lán de mhothúcháin,
Nach shin díreach mar is cóir?

Gach Soicind

Tá am ar leith chun ite ann,
Is am chun 'bheith ag ól;
Ach fásann tú an t-am ar fad,
Ó bhí tú id' bhabaí óg.

Athraíonn dath do shúile,
Tagann cruth nua ar do shróin;
Éiríonn do chos níos faide,
Fiú is tú ag ithe lóin.

Nuair a luíonn tú ar do leaba bhog
Id' chodladh duit go sámh,
Fásann codanna do choirp ar fad,
Ó bhaitheas cinn go lámh.

Féach anois ar ghrianghraf díot
Nuair a bhí tú sa chliabhán;
Is féach arís ar ghrianghraf úr,
Nó fiú sa deabhal scáthán.

Nach iontach é an t-athrú
A tháinig ort ód naíocht:
Mar fásann tú gach soicind,
Is tá 31,536,000 acu-san sa bhliain.

Ag Fás

"Cad 'tá 'tárlúint dom?"
arsa mise liom féin,
Is mé ag féachaint sa scáthán.
"Táim ag fás, sin é,"
arsa mise liom féin,
Faoi mar a thárla
dom' dheartháir Seán.

"Cad 'tá in ann dom?"
arsa mise liom féin,
Is mé ag féachaint sa scáthán.
"An mbeidh mé dathúil, ard?"
arsa mise liom féin,
"Faoi mar atá
mo dheartháir Seán".

"Beidh mé ciallmhar, cliste,"
arsa mise liom féin,
"Sin a deir liom an scáthán,
Mar níl éinne eile mar mé,"
arsa mise liom féin,
"Fiú amháin
mo dheartháir Seán."

Imní

An raibh tú riamh an-déanach
agus tú ag dul ar scoil,
Gan aon obair bhaile déanta,
Is gur thosaigh tú ag gol?

Anois tá Daidí crosta:
"Caithfidh mise nóta 'scríobh."
An páiste bocht tá imní air
Nár mhothaigh Daidí riamh.

Ach an mhaidin ina dhiaidh sin
Bhí gach aon ní ceart go leor:
Bhí an obair bhaile déanta,
"Maith thú, 'Eoin," arsan múinteoir.

Inniu an Satharn

A Dhaid, a Dhaid, cá bhfuilimid ag dul?
Inniu an Satharn, táimid saor ón scoil.
An dtabharfaidh tú sinn go dtí 'n cluiche peile,
Nó go dtí 'n phictiúrlann, más é do thoil é?

A Mham, a Mham, cá bhfuilimid ag dul?
Inniu an Satharn, táimid saor ón scoil.
An dtabharfaidh tú sinn ar cuairt ar an sú,
Nó ar thuras ar thraein, síos fén dtuath?

A Dhaid, a Dhaid, cá bhfuilimid ag dul?
Inniu an Satharn, táimid saor ón scoil.
An dtabharfaidh tú sinn ag sleamhnú ar leac oighir,
Nó ar thuras ar bhus, isteach sa chathair?

Cuirig' uaibh, cuirig' uaibh, arsa Daid is Mam,
Ar cuairt go Mamó ar an mBóithrín Cam
Atáimid ag dul ar thuras sa charr.
Ar fheabhas, ar fheabhas! Beidh sé sin thar barr!

AN AIMSIR

An Picnic

Is breá liom féin an picnic
Le Mam is Daid cois trá;
Is breá liom féin an picnic
Cois farraige don lá.

Seo ceapaire is cáis ann
Is fleasc 'tá lán le tae;
Seo ceapaire is ubh ann;
Seo deireadh an tsúip ó inné.

Féach ceapaire banana
É donn is dubh ón teas;
Ach cé go bhfuil roinnt gainimh ann,
Niom, niom, tá sé go deas!

Sin agat an picnic,
An picnic ar an dtrá.
'Nois fillfimid abhaile,
Agus déanfaidh codladh sámh.

Cois Farraige

Is cuimhin liom lá cois farraige
Ag súgradh ar an dtrá,
Gur dheineamar caisleán mór,
Bratach álainn ar a bharr.

Ach tháinig buachaill dána,
Buachaill dána ó mo scoil,
Agus sheas sé ar mo chaisleán,
Agus thosnaigh mé ag gol.

"Ná bí buartha," arsa Daidí,
"Deiseoidh mise é, a stór.
Beidh sé díreach mar a bhí sé:
Daingean, láidir agus mór.

Is má thagann buachaill dána
In aice led' chaisleán,
Déanfaidh mise bagún ceart de,
'S beidh do chaisleán álainn slán."

Is Ait an Mac an Saol

An bhfaca tusa báisteach riamh   An bhfaca tusa sneachta riamh?
Sa Sahára um thráthnóna?   Arsa bean thall san Astráil;
Ní fheicim mórán uisce,   Bímidne 'gcónaí bun os cionn,
Bíonn an ghrian sa spéir á scóladh!   'S ní féidir sneachta 'fháil!

An bhfuair tú riamh dó gréine?   Cónaím féin san Ollainn,
Arsa duine ón Mhol Thuaidh;   Arsa bean na mbróga clag!
Ní bhíonn ár lá ró fhada;   Tá rud amháin nár éirigh liom
Bíonn an oíche fíochmhar fuar!   A dhéanamh: siúl gan stad!

Agus sin é 'n fáth go ndeirimse
Gurb ait an mac an saol!
Táimid difriúil agus cosúil,
Idir eachtrannaigh is Ghael!

Le déanamh: Tarraing pictiúr de mhuileann gaoithe nó d'íoglú agus eisceamach.

31

Fuacht

Polladh roth ar Dhaidí uair,
Agus é ag cur báistí;
Cúpla míle fós le dul,
Gan a hata ná láimhní.

An ghaoth aduaidh ag séideadh
Ina aghaidh go géar;
A ghruaig ag sileadh uisce,
Níl mothú ina mhéar'.

Ach nuair shroiseann sé an baile,
Is an tine sa tinteán,
Tagann dath i leicne Dhaidí,
Tá sé ar ais sa bhaile slán!

32

Fear Sneachta

Téimís amach, tá sneachta ann;
Deinimís firín sneachta le fonn:
    Clocha mar shúile,
    Brosna mar bhéal,
    Cairéad mar shrón,
Tá fear sneachta ar an saol.

An Spéir

Ar fhéach tú riamh in airde,
In airde sa spéir,
Go bhfaca tusa scamaill,
Iad liath, ach an-soiléir.

Is eilifint an ceann sin,
Agus sin an béar ar clé,
Crot capaill agus asail,
Agus féach thall cúpla gé!

Tá draíocht ins na scamaill,
Na scamaill thuas sa spéir;
Má thagann grian ar ais arís,
Imeoidh an draíocht go léir.

ÓCÁIDÍ SPEISIALTA

Oíche Shamhna

Seo chughaibh an taibhse,
Go dtí 'n doras cúil;
Istigh ina mhála
Tá cnónna 's úll.

Mar 'sé seo Oíche Shamhna,
Oíche na bpúcaí is na gcleas.

Ní aithníonn tú mise,
Táim gléasta go hait!
Mo mhála le líonadh,
Cuir rud ann, seo leat!

Mar 'sé seo Oíche Shamhna,
Oíche na bpúcaí is na gcleas.

Tá'n spéir amuigh lasta
Le réalta is pléascóg;
Guím oíche bhreá Shamhna
Oraibh féin, ón síóg.

Mar 'sé seo Oíche Shamhna,
Oíche na bpúcaí is na gcleas.

Is mise an chailleach,
Dhein mé bairín breac;
Bain triail as, a chara,
Don bhfáinne 's don chraic!

Mar 'sé seo Oíche Shamhna,
Oíche na bpúcaí is na gcleas.

Dráma na Nollag

Horá, horá, tá'n Nollaig ag teacht,
Is déanfaimid dráma scoile;
Beimid ag canadh 's ag seinnt ar ardán,
Ag aithris iontas na Nollag.

Beidh mise im' bhoc mór, Héaród, an rí!
Beidh Cáit mar Mhuire, is Seán mar Iósaf,
Beidh Dáithí is Síle i measc na n-aoirí,
Agus bábóigín Nóra mar Íosa sa chró leo.

Beidh páirt ag gach éinne sa dráma, dar ndóigh!
Mar ainmhí, mar aoire nó mar aingeal glégheal;
Beidh na carúil á gcanadh go binn ag an gcór,
Agus banna na scoile ag seinm go séiseach!

Ding Dong

Ding, dong! Tá 'n Nollaig linn;
Lúcháir san aer, is carúil binn.
Ding, dong! Seo can le fonn
Oíche Chiúin, rann ar rann.

Ding, dong! Tá 'n Nollaig linn;
Féirín deas dom' chara Finn.
Boladh breá ón gcrann sa chúinne,
Cártaí réidh don mhúinteoir uainne.

Ding, dong! Tá 'n Nollaig ann,
Maisiúcháin i ngach rang.
Éadaí geala don dráma scoile,
Aoirí ag teacht chun Íosa 'mholadh.

Ding, dong! Tá 'n Nollaig ann;
Draíocht san aer, is grá i ngreann.
Bímís ag rince, ag spraoi 's ag spórt,
Is tugaimís ómós d'Íosa beag sa chró!

San Nioclás

Tá 'n crann Nollag lasta,
Tá San Nioclás ag teacht;
Tá na litreacha scríofa,
Iad scríofa go beacht.

Bábóigín do Shíle,
Camán is carr d'Aodh,
I-pod do Dheirdre,
Is rothar do Rae.

Tá 'n simné glanta,
Tá 'n suipéar réidh;
An dtiocfaidh sé anocht
Le carráistí agus traein?

Rachaidh mé a chodladh
Im leaba go luath,
Is beidh San Nioclás tagtha;
Nollaig shona! Beir bua!

An Pharáid

Féach an leoraí, an trucail 's an carr,
Is bus mór gléasta ó bhun go barr;
Daoine ag seinnt,
Is tuilleadh 'g rince;
Spraoi san aer!
Seo hé an pharáid, go cinnte.
Luasc do bhratach thart, is ardaigh,
Seo lá speisialta, Lá 'Le Pádraig.

Le déanamh: Scríobh cuntas gairid ar Pháráid Lae 'le Pádraig.

Pádraig Naofa

Pádraig Naofa, grá na nGael,
Las sé tine dúinn go léir!
Nuair a las, bhí 'n rí an-chrosta:
"Cé las an tine sin de bhrosna?"

"Mise a las ar son ár gCríost,"
Arsan Naomh a ruaig an phiast.
"Maith go leor," arsan rí, "B'shin éacht.
Do na sluaite 'nois tabhair léacht."

Fuair Pádraig planda ina aice:
"San Aon Dia amháin, tá trí phearsa.
Féachaíg' anso ar an aon seamróg,
Ar an aon phlanda, tá trí bhileog".

Ó shin i leith bíonn ceiliúradh muar
Mar a mbíonn na Gaeil, te nó fuar.
Is ar gach veist bíonn an tseamróg
Á chaitheamh go bródúil ag sean is óg.

Ubh Seacláide

Tá 'n Cháisc ag teacht,
Is gheobhaidh mé ubh;
Sea, ubh seacláide
Álainn tiubh.

Scoiltfidh mé é
Ina dhá leath go cruinn;
Agus íosfaidh mé é
Le sásamh fíor.

AINMHITHE

Craos

Cat ag scríobadh, cat ag scríobadh,
'Lorg a dhinnéir.
Canna á oscailt, canna á oscailt,
Íosfar é go léir.

Cat ag bogadh, cat ag bogadh,
Sall go méisín bán.
Cat ag ithe, cat ag ithe:
Níl blúire fágtha ann.

Míaúúú

Cat ag Crú na Gréine

"Cá bhfuil an cat?"
Arsan luch bheag liath,
"Ag crú na gréine,"
Arsan luichín buí.

"Cá bhfuil an cat?"
Arsan t-éinín bán,
"Ina chodladh go sámh
Thall ar an gcosán."

"Ná dúisigh é,"
Arsan sicín rua,
"Nó íosfaidh sé sinn,
Gan taise, gan trua."

Mo Bhó

'Sí Seoidín mo bhó-sa is tugann sí bainne
Sa bhuicéidín leictreach, an t-umar is glaine;
Líontar an leoraí leis an mbainne glé,
A imíonn go dtí 'n uachtarlann fán mbaile ar clé.

Agus tagann amach na leoraithe lána,
Líonta le *yoghurt*, is reoiteoga bána;
Uachtar don mhilseog, is cáis don dinnéar;
Nach iontach í Seoidín, a n-údar go léir.

Cad as é an leathar 'tá thart ar mo choim?
Ar mo chosa tá bróga is fúthu tá boinn,
Ar mo phónai tá diallait, í greamaithe, teann.
'Sí Seoidín an bhóín is cliste ar domhan.

Iora Rua, Iora Ghlas

Chonaic mise iora ghlas
Go minic sa gháirdín;
Ach iora rua ní fhaca fós,
Mar tá siad gann, faraoir.

Nach cliste é mar ainmhí,
Ag cruinniú cnuasach cnó',
Á stóráil i bpoll sa chrann,
Mar bhéile ó ló go ló.

Má fheiceann tusa iora rua,
Cuir glaoch orm, le do thoil.
Le ceamara tóg grianghraf de,
Is beidh a phictiúr insan scoil.

Eilifint Ghlas

Trod, trad, trod, trad,
Eilifint ghlas amuigh ag siúl;
Trod, trad, trod, trad,
Tabhair aire do Bhabaí thiar ar cúl!

Splis, splois, splis, splois,
Eilifint ghlas amuigh sa lochán;
Splis, splois, splis, splois,
Tabhair aire do Bhabaí ar an gcosán.

Pluda, plada, pluda, plada,
Eilifint ghlas amuigh sa lathach;
Pluda, plada, pluda, plada,
Tabhair aire do Bhabaí go mbeidh sé 'na fhathach.

Léim, a Mhoncaí, Léim!

Léim, a mhoncaí, léim!
Ó thaobh go taobh,
Suas is anuas,
Ó chraobh go craobh.

Luasc, a mhoncaí, luasc!
Ó chrann go crann.
Soir is siar,
Ach seachain do cheann.

Dreap, a mhoncaí, dreap!
Go barr an chrainn!
Féach, a mhoncaí, féach!
An bhfeiceann tú sinn?

Le déanamh: Tarraing pictiúr den mhoncaí.

An Spideog

A spideoigín an bhrollaigh mhín,
A spideoigín, atá chomh binn,
Tar i leith ó ghéag an chrainn,
Mar is tú is deise ag seinm foinn.

Led' cheol bíonn áthas ins an aer,
Fiú is sneachta 's sioc ar féar;
Seo dhuit crústa aráin nó dhó,
Beidh ocras ort, gan aon agó.

Codladh sámh, a éinín bhinn.
Arís amáireach, bí-se linn.

Mo Pheata Sinéad

Tá coinín óg sa bhaile 'gam,
Mo pheata féin, Sinéad;
Bíonn sí ag ithe a lán leitíse,
Is is breá léi an cairéad.

Ina béal tá fiacla bána,
Ar a fionnadh tá stríoca dubha;
Léimeann sí ar fud na háite,
Ach ní rachaidh sí amú.

Tá a tigín féin sa gháirdín,
Is istigh ann leaba tuí;
Nuair a thagann an tráthnóna,
Téann Sinéad ann a luí.

An Luchóg

Nach ait an mac an luchóg,
An créatúr bídeach liath;
Nuair a thagann sí as poillín beag,
Téann gach éinne soir is siar.

Níl ann ach créatúr bídeach,
  Ag lorg cáise dá dhinnéar,
  Ach nuair a fheicimidne eisean,
  Léimimid san aer.

A leithéid de bhéic, a thaisce!
Nuair a thaispeánann sí a srón.
A luchóg, seachain an gaiste,
Nó beidh deireadh leat go deo.

AN SCOIL

Clog na Scoile

Ding, dong! clog na scoile –
Líne dhíreach, má 'sé bhur dtoil é.

Ding, dong! amach sa chlós –
Nár chríochnaigh tú do cheapaire fós?

Ding, dong! sin clog na scoile
Ag fógairt dúinn-ne dul abhaile.

An Scoil

Tá ár scoil-ne go hálainn:
Chomh fairsing sin is glé;
Fál mór ina timpeall
Chun ná rachainn-se ar strae.

Tá Bean Uí Riain ag feitheamh liom
Istigh sa seomra ranga,
Méarchlár ar sheastán aici
Chun sinn a chur ag canadh.

Féach ar na cóipleabhair
Go néata ar an mbord,
Cinn Ghaeilge is cinn Bhéarla;
Chuile cheann acu in ord.

An t-iasc beag sa chúinne
Ag snámh san uisce fuar,
Is boiscín bia in aice léi
Go n-éireoidh sí breá muar.

Osclaígí na málaí
Tosnaímís ar an obair.
An aiste sin a scríobh sibh
Faoin gcat a thit sa tobar!

T'réis táiblí agus litriú,
Eolaíocht agus snámh,
Seo dhaoibh an obair bhaile,
Is go dté sibh slán.

Le déanamh: Scríobh amach ainm na scoile agus ainmeacha na múinteoirí.

An Leabhar ar Strae

Ó, cá bhfuil an leabhar sin,
a thóg mé inné?
Ó, cá bhfuil an leabhar sin,
a chuaigh ar strae?
Ar an gclúdach ildaite
tá cailleach air is leon;
Ach níl sé in aon áit
sa teach, ochón!

Beidh ár leabharlannaí crosta
amáireach ar scoil:
"Tabhair ar ais dom an leabhar
a thóg tú, led thoil.
Ar an gclúdach ildaite
tá cailleach air is leon;
Muna dtugann tú ar ais é
is ortsa a bheidh brón."

Anois is cuimhin liom
go bhfuil sé ag Barra,
Mo chomharsa bhéal dorais,
Barra mo chara.
Nach sásta a bheidh
an leabharlannaí,
Beidh an leabhar ar ais
aici gan mhoill.

An Leabharlannaí Scoile

Tá leabharlannaí ar scoil againn
Darbh ainm Bean Uí Néill.
Is féidir léi 'bheith crosta,
Agus sin é fáth mo scéil:

Má chailleann tusa leabhar,
Nó má théann aon leabhar ar strae,
'Sé deir sí: "Bhí an leabhar sin
Le tabhairt ar ais inné.

Bíodh an leabhar leat amáireach
Gan teip, a Sheáin Uí Shé,
Nó duitse, a mhic, is measa é,
Beidh deireadh le do ré".

Ach tá 'fhios agam gur stróic an cat
Leathanach a dó!
Is gur ith an madra pictiúir ann,
Is cúl an leabhair don lón!

Cad a déarfaidh mé amáireach
Lenár gcara Bean Uí Néill?
Mar ní fheicim aon ní eile romham
Ach . . . . . . deireadh mo shaoil!

Cáit Ghiodamach

Bíonn Cáit Ní Neachtain
i gcónaí ag bladar,
Ag cur aighthe uirthi féin
dá cara Peadar;
Ní bhíonn a cuid leabhar
riamh in ord,
Is greamaíonn sí guma coganta
faoin mbord.

Bíonn Cáit Ní Neachtain
i gcónaí ag bladar,
"Cá bhfuil do leabhar staire, a Cháit?"
deir sí: "N'fheadar!"
Obair bhaile, sin rud
ná deineann Cáit,
Is ní fhanann sí socair
riamh ina háit.

Dá mbeadh Cáit deas ciúin
mar a bhíonn daltaí eile!!!
Dá ndéanfadh sí 'n beart
Ar a cuid oibre scoile!!!
Dá gcuirfeadh sí feabhas
Ar a hiompar,
Bheadh gach rud go seoigh,
Bheadh gach rud go hiontach!!

Ach sin agaibh Cáit Ní Neachtain;
Ní athróidh Cáit riamh . . . . . .???

Diúdláil

Ag diúdláil, ag diúdláil,
Mo dheirfiúr ar an bhfón!
Ag scribleáil, ag scribleáil;
Sin ceann, sin aghaidh, sin srón.

Ag breacadaíl, ag breacadaíl:
Tá 'n ghruaig ag éirí catach!
Ag scrábáil, ag scrábáil:
Tá 'n croiméal 'bhfad ró-fhada!

Ag diúdláil, ag diúdláil,
Mo dheirfiúr ar an bhfón,
Ag caint lena cara stócaigh,
'Tá ag teacht ar cuairt don lón.

ILGHNÉ

An Cleasaí

Féach mo shrón –
Liathróidín dearg!
Féach mo shúile –
Deora bróin.

Féach mo cheann –
Gruaig chatach!
Féach an dath –
Dearg-dhonn.

Féach mo phócaí –
Sin ciarsúirí!
Féach mo bhríste –
Sin spotaí.

Féach na liathróidí,
'S iad ag casadh!
Féach na lámha
Is na basa!

Féach mo bheola:
Táim ag spraoi;
Féach na leanaí,
Ina suí.

Féach mo láimhní
Atá bán;
'Nois, a leanaí,
Déarfad slán.

Fóinín

Deir duine amháin, fón póca;
Fón so-ghluaiste ag duine eile!
Ach nach cuma cioca is nós leat,
Mar an gcéanna iad, ar deireadh.

Bíonn a gceol le clos ar bhus is sráid
Ó gach dara duine 'théann thar bráid;
"Bla, bla" anso, "blíp-blíp" ansúd;
Bladar romhat is ar do chúl.

Bíonn tonnta beaga ag teacht ón bhfón
Ag dul isteach id' cheann 's id shrón.
Ach níl éinne buartha faoi, ná cráite,
Mar tá'n fóinín beag úd an-úsáideach,
I ngach aon slí!

Le déanamh: Cum comhrá fón póca idir tú féin is do chara.

Leipreachán

Tic, teaic, tic teaic,
Leipreachán faoin gcrann;
Tic teaic, tic teaic,
Ach níl síóga ann.

Tic teaic, tic teaic,
Leipreachán faoin gcrann;
Teaic teaic, tic tic,
Teaic tic, tic teaic,
Anois tá síóga ann!

An Citeal Dubh

Bhí citeal dubh thiar sa chúl,
In aice le mo chrann beag úll;
Bhí scéal aige is amhrán breá,
Bhí ceol aige don gclann gach lá.

Ach chuir mo mhamaí bláthanna ann,
Is d'fhás na bláthanna le fonn!
Ach stop an citeal dá chuid ceoil,
Ní chloistear dán ná scéal níos mó.

Mo Ríomhaire

Clic a haon, clic a dó,
Tá sé ar lasadh agam.
Faoim' láimh an luchóg,
Mé ag faire le fonn.

Tá *rams* agus *roms* ann,
Meigibheart faoi mhilliún;
Iad go léir sa ghléas beag seo,
Mo ríomhaire ciúin.

Ar an suíomh gréasáin
Féach pictiúr ag teacht.
Tá an boc seo chomh cliste,
A chuid eolais cruinn, ceart.

Nach iontach clóbhualadh
Ar leathanach bán;
Pictiúr á dhathú agam;
'Nois aiste nó dán?

Caithfidh mé é 'fhágaint,
Tá'n dinnéar ar an mbord.
Ach fillfidh mé air,
Chun mo scéal 'chur in ord.

Beidh an múinteoir breá sásta:
Beidh an litriú i gceart;
Beidh mo scéilín go hálainn
Soiléir agus beacht;
Agus . . .
Is agam 'bheidh cóipcheart!

Is Fuath Liom an Scoil

A mhamaí, a mhamaí,
Ní theastaíonn uaim dul ar scoil:
Bíonn na páistí ann ag gáire fúm,
Is im' bhullaíocht ar a dtoil.

Ach caithfidh tú éirí, a chroí;
Brostaigh 's ná dein moill!
Féach an clog, deich chun a naoi!
Dein deifir, a thaiscín.

Ná cuir iachall orm, a mhamaí,
Ná bí crosta liom inniu!
Tá na páistí ag caitheamh maslaí,
Is á rá go bhfuilim tiubh.

Éirigh as anois, is gléas tú féin
Láithreach bonn, a chroí,
Mar is tusa an Príomh-Oide
Téigh 's tabhair aire dod' pháistí!!